챗GPT 초등왕
(시작편) 2025

Chat GPT & AI Handbook Series

2025 챗GPT 초등왕 (시작편)

초판 _ 2025년 1월 22일

지은이 _ 코딩코치스

디자인 _ enbergen3@gmail.com

펴낸이 _ 한건희

펴낸곳 _ 부크크

출판등록 _ 2014.07.15.(제2014-16호.)

주소 _ 서울특별시 금천구 가산디지털1로 119 SK트윈타워 A동 305호

전화 _ 1670-8316

이메일 _ info@bookk.co.kr

홈페이지 _ www.bookk.co.kr

ISBN _ 979-11-419-7624-8

값은 표지에 있습니다.

챗**GPT** 초등왕
(시작편) 2025

Chat GPT & AI Handbook Series

Intro 들어가는 말

"안녕하세요!
이 책은 **ChatGPT**를 처음 사용하는
여러분을 위해 준비한 안내서입니다."

ChatGPT [챗지피티]는 **OpenAI [오픈에이아이]**라는

회사에서 만든 '대화형 인공지능 모델'로,

여러분이 학습, 작업, 창의적인 아이디어 발굴,

그리고 일상적인 문제 해결에

유용하게 활용할 수 있는 도구입니다.

AI 기술의 발전은 우리의 일상을

빠르게 변화시키고 있습니다.

이러한 변화 속에서 **ChatGPT**는

단순히 정보를 제공하는 것을 넘어,

우리 모두의 창의적인 생각과 결합하여

새로운 가능성을 열어줍니다.

ChatGPT

이 책은 여러분이 **ChatGPT**를 효과적으로 사용하여
더욱 재미있는 디지털 경험을 누릴 수 있도록 도와줄 것입니다.

이 책에서는 **ChatGPT**를 처음 만나는 여러분을 위해
기본적인 사용법과 유용한 팁을 제공하며,
다양한 활용 사례와 문제 해결 방법도 안내하여 드립니다.

이 책을 통해 여러분께서 **ChatGPT**를
보다 친숙하게 느끼고,
자신만의 방식으로
최대한 활용할 수 있기를 기대합니다.

"자! 그러면 지금부터
ChatGPT의 세계로
함께 들어가 볼까요?"

"**ChatGPT**는
다음과 같이 크게
준비와 발전의 과정을 세분화하여
6가지 파트로 구성되어 있어요!
각 단계는 점진적 성장과 성공을
목표로 하는 과정입니다."

Contents

목차

One-Point-Up

WarmUp

"Let's **WarmUp** with some brainstorming."

10

**WarmUp은
ChatGPT 사용을 위한 기초 준비 단계로,
에너지를 모으는 단계입니다.**

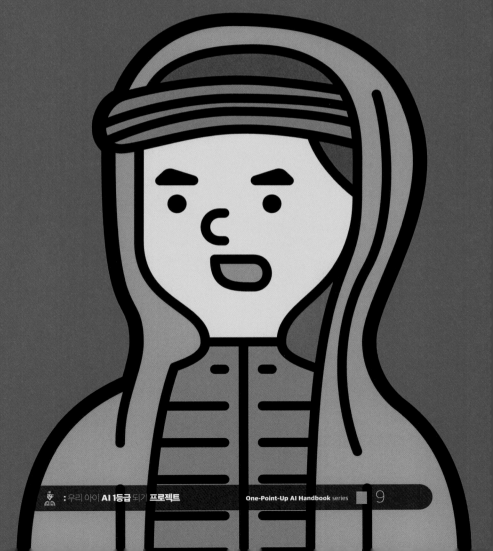

"우리 친구 여러분!
ChatGPT를 만나볼까요?"

WarmUp

10

ChatGPT란 무엇인가요?

"친구 여러분! **ChatGPT**는 무엇일까요?
아주 간단하게 알아볼게요!"

ChatGPT는 다음과 같은 똑똑한 AI 친구예요!

● 사람처럼 질문에 대답하고, 글을 써주고,

어려운 문제도 도와주는 똑똑한 로봇이에요.

● 책을 읽거나 선생님께 물어보는 것처럼,

궁금한 걸 물어보면 바로 답을 알려줘요.

● 숙제를 돕거나, 새로운 아이디어를 떠올리거나,

재미있는 이야기를 만들어낼 때

사용할 수 있어요.

예를 들어 ChatGPT는 이런 걸 할 수 있어요. :

● "태양계는 어떻게 생겼어요?" 하고 물으면 알려줘요.

● "동화 이야기를 만들어줘!" 하면

재미있는 이야기를 만들어줘요.

● "이 문제 좀 도와줘!" 하면

문제를 푸는 방법도 설명해줘요.

ChatGPT는 어떻게 작동하나요?

ChatGPT는 사람처럼 대화하도록 훈련받은 AI 친구예요!

● 많은 책과 글을 읽어서 똑똑해졌어요.

● 여러분이 질문하면 내용을 잘 생각해서 똑똑한 답변을 해줘요.

● 그래서 선생님처럼 설명도 하고, 친구처럼 이야기도 해줄 수 있답니다!

예를 들어 이렇게 작동해요. :

● "왜 비가 와요?" 하고 물으면,

하늘의 구름이 물방울로 변하는 걸 설명해줘요.

● "수학 문제를 풀어줘!" 하면

문제를 푸는 방법을 차근차근 알려줘요.

WarmUp

11

첫 준비 11 – 가입하기!

"친구 여러분!
이제 **ChatGPT**를 만날 준비가 되었나요?
구글 계정을 사용해서 **ChatGPT**에
가장 쉽게 가입하는 방법을 설명드릴게요!"

ChatGPT 무료 가입하기! (PC 버전)

먼저 **PC**를 사용해서 가입하는 방법은 다음과 같아요.

순서대로 하면 됩니다.

1. ChatGPT 사이트에 들어가기

● 먼저 인터넷에서 **chat.openai.com**을 찾아가요.

(**QR** 코드 촬영)

● 화면에 커다란 **Sign Up (가입하기)** 버튼이

보일 거예요. 그걸 눌러요!

2. 구글로 로그인하기

● 버튼을 누르면 여러 가지 로그인 방법이 나와요.

● 여기서 **Sign in with Google (구글로 로그인하기)**

버튼을 찾아서 눌러요. (구글 계정이 편리해요.)

3. 내 구글 계정 선택하기

● 구글 계정이 여러 개 있다면 어떤 계정을 쓸지 선택하는 화면이 나와요.

● 쓰고 싶은 계정을 골라요.

● 혹시 안 보이면 **'다른 계정 추가'**를 눌러서 구글 계정 정보를 입력하면 돼요.

4. 승인하기

● **ChatGPT**가 이름이나 이메일 같은 기본 정보를 사용할 수 있도록 허락해달라고 해요.

● **'허용'** 버튼을 눌러주면 돼요.

5. 환영합니다!

● 짜잔! 이제 **Welcome to ChatGPT**

(**ChatGPT**에 오신 걸 환영합니다!)라는 화면이 나와요.

● 화면에 간단한 안내가 적혀있을 거예요.

6. ChatGPT 사용하기

● 모든 과정이 끝나면 **ChatGPT** 대화 화면이 나와요!

이제 드디어 재미있는 질문을 하거나 원하는 내용을 물어볼 수 있어요.

▶ ▶ ▶ **부모님, 선생님 그리고 지도하시는 분께**

학생이 가입할 수 있도록 이메일 등 연령 제한 문제 부분을 도와주세요.

WarmUp

12

첫 준비 12 –가입하기!

"친구 여러분!
이번에는 구글 계정을 사용해서 모바일로
ChatGPT에 가입하는 방법을 설명드릴게요!"

ChatGPT 무료 가입하기! (모바일 버전)

1. ChatGPT 사이트 열기

● 스마트폰에서 크롬 인터넷 브라우저를 열고

chat.openai.com으로 들어가요.

(**QR** 코드 촬영)

● 화면 아래쪽이나 위쪽에

Sign Up (가입하기) 버튼이 보여요. 눌러주세요!

2. 구글로 로그인 선택하기

● 로그인 방법을 고르는 화면이 나와요.

● 여기서 **Sign in with Google (구글로 로그인하기)**

버튼을 눌러요.

● 버튼이 작아 보여도 걱정하지 말고

정확히 눌러보세요!

3. 구글 계정 선택하기

● 이제 구글 계정 선택 화면이 나올 거예요.

● 이미 로그인한 계정이 있다면

그중에서 사용할 계정을 선택해요.

● 만약 화면에 계정이 안 보이면

'다른 계정 추가'를 눌러서 이메일과 비밀번호를 입력하면 돼요.

4. 권한 요청 승인하기

● **ChatGPT**가 이름, 이메일 같은 기본 정보를 사용해도 괜찮은지 물어봐요.

● 화면 아래쪽에 있는 **'허용'** 버튼을 눌러요.

5. 환영 메시지 확인하기

● 로그인에 성공하면 **Welcome to ChatGPT**

(**ChatGPT**에 오신 걸 환영합니다!)라는 화면이 나와요.

● 간단한 안내와 함께 **'다음'** 버튼 같은 게 있을 수도 있어요. 눌러서 넘어가요.

6. 대화 시작하기

● 마지막으로 **ChatGPT**의 대화 화면이 보여요!

● 이제 스마트폰으로 편하게 **ChatGPT**와 이야기할 수 있어요.

스마트폰으로 하면 손가락으로 버튼을 누르기만 하면 되니까 훨씬 더 쉬울 거예요!

WarmUp

(12)

첫 준비 (12) – 스크린샷!

"이번에는 스크린샷으로 따라하는
순서를 다시 보여드릴게요!"

❶ **ChatGPT 사이트 열기** ▶ ❷ **구글로 로그인 선택하기**
▶ ❸ **구글 계정 선택하기** ▶ ❹ **OpenAI 계정 만들기**
▶ ❺ **환영 메시지** ▶ ❻ **대화 시작하기**

WarmUp

13

첫 준비 13 –음성 설정!

"이번에는 스마트폰에서 **ChatGPT**로
음성 채팅을 시작하는 방법과
설정하는 과정을 간단하게 설명드릴게요!"

"Let's **WarmUp**
with some brainstorming."

ChatGPT 음성채팅 설정하기!

1. ChatGPT 앱 열기 또는 사이트 접속하기

● 먼저 **ChatGPT** 앱을 설치했다면 앱을 열고,

없다면 브라우저에서 **chat.openai.com**으로

들어가세요.

● 앱이나 웹 모두 비슷하게 작동하니까

편한 방법으로 하세요!

2. 계정 로그인 확인하기

● ChatGPT에 이미 로그인되어 있는지 확인해요.

● 로그인되어 있지 않다면 구글 계정으로

간단히 로그인하세요.

(로그인 방법은 앞부분 설명 참고!)

3. 음성 기능 활성화하기

● 화면에서 **'음성기능 아이콘'**을 클릭하세요.

● 마이크 사용 권한을 요청하면 허용을 눌러주세요.

● 설정이 끝나면 대화 화면으로 돌아와요.

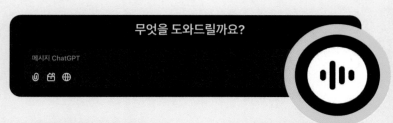

4. 음성으로 질문하기

● 마이크 아이콘을 누르고 질문을 말하세요.

● 예를 들어, "오늘 날씨는 어때?"처럼 간단하게 말하면 돼요.

● **ChatGPT**가 음성으로 답을 하거나 글자로 대답을 보여줄 거예요.

5. 음성 출력 설정하기 (선택 사항)

● **ChatGPT**가 음성으로 대답하도록 설정하려면

오른쪽 위에 있는 조절 버튼을 클릭하세요.

● 원하는 **'음성 스타일'** (남성/여성, 빠르기 등)을 고를 수도 있어요.

6. 설정 완료

● 이제 말로 물어보고 들으면서 **ChatGPT**와 대화할 수 있어요!

● 문제가 있거나 음성이 안 들리면

인터넷 연결 상태와 마이크 설정을 다시 확인해 보세요.

스마트폰으로 음성 채팅을 하면

더 재미있고 편하게 ChatGPT를 이용할 수 있어요.

궁금한 점이 생기면 언제든 물어보세요!

▶ ▶ ▶ **부모님, 선생님 그리고 지도하시는 분께**

개인정보 보호를 위해 우상단 내 아이콘 〉 설정 〉 데이터 제어 〉
모두를 위한 개선 모델 개선을 '꺼짐'으로 체크하세요.

WarmUp

14

첫 준비 14 – 메뉴의 이해!

"**ChatGPT** 화면에 있는 메뉴는 어떤 기능을 할까요? **ChatGPT** 화면은 사용하기 쉽게 만들어져 있어요. 메뉴를 하나씩 살펴볼까요?"

ChatGPT 메뉴 기능 이해하기!

① **채팅 창(메인 화면): ChatGPT**와 대화하는 공간이에요. 질문을 입력하면 답을 받을 수 있죠!

② **새로운 대화 시작(메모-연필 아이콘):** 새로운 대화를 시작할 때 클릭해요.

③ **찾기(돋보기 아이콘)**: 사용법이나 자주 묻는 질문 **(FAQ)**을 볼 수 있어요.

④ **대화 기록(목록 아이콘)**: 전에 했던 대화를 저장하거나 다시 볼 수 있어요.

⑤ **내 아이콘**: 맞춤 설정 등을 바꿀 수 있어요.

⑥ **설정(기어 아이콘)**: 언어, 응답 스타일 등을 바꿀 수 있어요.

⑦ **로그아웃(나가기 아이콘)**: 계정을 바꾸거나 로그아웃할 때 사용해요.

모든 메뉴가 간단하고 직관적이라 쉽게 사용할 수 있어요!

WarmUp

15

첫 준비 15 - 마무리!

우리는 **ChatGPT**와 어떤 일을 할 수 있을까요?
우리는 **ChatGPT**와 함께 공부, 놀이, 창작활동 등 정말 다양한 일을 할 수 있어요!

우리가 ChatGPT와 할 수 있는 것들!

● **질문에 답하기:** 여러분이 궁금한 걸 알려줄 수 있어요.

● **추천하기:** 예를 들어 책, 영화, 게임 추천도 척척!

● **글쓰기 도와주기:** 숙제를 하거나 글을 쓸 때 도움을 줄 수 있어요.

● **창의적인 아이디어 제공:** 그림 그리기 주제나 이야기 만들기 아이디어를 줄 수 있어요.

● **번역과 문법 검사:** 다른 언어로 번역하거나 맞춤법도 확인해 줘요.

쉽게 말하면, **ChatGPT**는
우리들의 똑똑하고 친절한 친구가 될 수 있는
인공지능이에요!

"Let's **WarmUp**
with some brainstorming."

아참! 그리고 **ChatGPT**는 무료로 사용할 수 있어요!

● 가입만 하면 기본적인 기능을 무료로 이용할 수 있어요.

● 다만, 하루에 사용할 수 있는 횟수가 정해져 있을 수 있어요.

● 더 많은 기능이 필요하면 그때 가서 유료 플랜을 생각하면 돼요.

하지만 걱정 마세요! 무료 버전만으로도 충분히 유용해요.

지금까지 ChatGPT가 무엇인지, 어떻게 사용할 수 있는지 알아보았어요.

이제부터 우리는 ChatGPT와 함께 다양한 활동을 더욱 즐겁게 할 수 있을 거예요.

GearUp

"Time to **GearUp** and make everything ready."

20

**GearUp은
필요한 도구를 준비하며
ChatGPT 실행을 준비하는 단계입니다.**

"우리 친구 여러분!
ChatGPT를 준비해 볼까요?"

GearUp

21

ChatGPT 실행 준비!

"안녕하세요! 이번 장에서는 **ChatGPT**를 사용해 볼 거예요. 어떻게 대화를 시작하는지, 무엇을 주의해야 하는지, 그리고 기본 개념들을 하나씩 배워 보면서 **ChatGPT**와 친해져 볼게요. 자, 그럼 시작해 볼까요?"

"Time to **GearUp** and make everything ready."

21. ChatGPT를 처음 시작할 때 알아야 할 5가지 기본 개념

❶ 프롬프트(Prompt)

● 여러분이 **ChatGPT**에게 하는 질문이나 요청이에요.

● 예시: **"오늘 날씨 어때?"** 또는

"재미있는 게임 추천해줘!"

❷ 응답(Response)

● **ChatGPT**가 여러분의 프롬프트에 대해

주는 답이에요.

● 예시: **"서울의 오늘 날씨는 맑아요!"**

③ 토큰(Token)

● 토큰은 텍스트의 단위로, 단어, 공백, 문장 부호 등을 포함합니다.

● 길이가 너무 긴 텍스트는 나눠서 처리할 수 있으니 적당히 나눠 입력하면 좋아요.

④ 대화(Conversation)

● 여러분이 **ChatGPT**와 나누는 모든 질문과 답변을 말해요.

● 하나의 질문에서 끝나는 게 아니라 여러 질문과 답변을 이어갈 수 있어요!

⑤ 컨텍스트(Context)

● **ChatGPT**는 대화 중에 여러분이 한 말을 기억하고, 이를 바탕으로 대답해요.

● 예를 들어, **"어제 말했던 게임 추천 다시 알려줘!"**라고 하면

기억을 활용해서 답해줍니다.

GearUp

22

"Time to **GearUp** and make everything ready."

22. ChatGPT와 대화할 때 좋은 질문을 만드는 10가지 방법

❶ 간단하고 명확하게 묻기

● 예시: **"내일 제주도 날씨 알려줘."**

● 설명: 짧고 정확한 질문일수록 더 빠르고 정확한 답을 받을 수 있어요.

❷ 구체적인 요청하기

● 예시: **"서울에서 3일 동안 갈 만한 미술관이랑 박물관을 추천해줘."**

● 설명: 기간이나 장소를 자세히 적으면 더욱 유용한 답을 받을 수 있어요.

❸ 상황 설명하기

● 예시: **"우리집 고양이는 끈을 좋아해. 새로 나온 고양이 장난감 추천해 줄래?"**

● 설명: 여러분의 상황을 알려주면 **ChatGPT**가 더 맞춤형 답을 줄 수 있어요.

④ 배경 정보 추가하기

- 예시: **"영어 작문 실력이 부족한데, 실력을 키우는 방법을 알려줘."**
- 설명: 배경 정보를 주면 **ChatGPT**가 더 실질적인 도움을 줄 수 있어요.

⑤ 목적을 말하기

- 예시: **"운동 습관을 만들고 싶어. 어떻게 하면 좋을까?"**
- 설명: 목표를 알려주면 그에 맞는 조언을 들을 수 있어요.

⑥ 시작점을 정하기

- 예시: **"자전거 타기를 처음 배우는데, 어떻게 시작해야 해?"**
- 설명: 처음 단계부터 알려달라고 하면 **ChatGPT**가 기초부터 설명해 줘요.

⑦ 단계별로 요청하기

- 예시: "종이접기로 공룡 만드는 법을 순서대로 알려줘."
- 설명: 차근차근 배울 수 있도록 순서를 요청하면 돼요.

GearUp
22

❽ 원하는 결과 공유하기

● 예시: **"효율적으로 공부하고 싶어.**

어떤 방법이 좋을까?"

● 설명: 원하는 결과를 알리면

더 맞는 답을 받을 수 있어요.

❾ 예시를 제시하기

● 예시: **"어벤져스처럼 재미있는 영화를 추천해줘."**

● 설명: 예시를 주면 비슷한 것을

더 쉽게 추천받을 수 있어요.

"Time to **GearUp** and
make everything ready."

❿ 특정 톤이나 스타일 요청하기

● 예시: **"내가 쓴 글을 재미있게 이모티콘을 넣어 써줘."**

● 설명: 원하는 대화 스타일을 알려주면

그에 맞는 답을 받을 수 있어요.

ChatGPT, 잠깐만요!

Q: ChatGPT가 대답하지 못하는 것도 있나요?

A: 네, 몇 가지 대답할 수 없는 내용이 있어요.

● 실시간 정보나 정확한 개인 정보는 답할 수 없어요.

● 윤리적이지 않거나 부적절한 질문에도 대답하지 않아요.

Q: ChatGPT의 답변은 항상 정확한가요?

A: 대부분 정확하지만, 가끔 틀릴 수도 있어요.

● 중요한 내용은 꼭 다른 곳에서 확인해 보는 게 좋아요!

Q: ChatGPT는 어떤 언어로 대화할 수 있나요?

A: 한국어는 물론 영어, 스페인어, 프랑스어 등 여러 언어를 사용할 수 있어요.

● 원하는 언어로 질문하면 **ChatGPT**가 맞춰서 대답해 준답니다.

이번 장에서는 ChatGPT와 대화를 시작하는 법과 좋은 질문을 만드는 방법을 배웠어요!

이제 ChatGPT에게 첫 질문을 던져 보세요.

ChatGPT는 여러분의 작은 궁금증부터 큰 고민까지

함께할 준비가 되어 있답니다.

StartUp

"This is the moment to **StartUp** our new initiative."

30

**StartUp은
ChatGPT에 대한 아이디어를
실행에 옮기기 시작하는 단계입니다.**

"우리 친구 여러분!
ChatGPT를 시작해 볼까요?"

StartUp

30

ChatGPT 시작하기!

"안녕! **ChatGPT**를 처음 사용하는 친구들,
지금부터 **ChatGPT**를 시작해 볼까요?
ChatGPT를 활용해서 멋진 일을
할 수 있는 방법들을 알려줄 거예요.
어렵지 않으니 차근차근 따라와 보세요!"

지금부터 본격적인 프롬프팅(요청)을
시작해 볼게요. 아래와 같은 프롬프트 창에
글을 쓰면 됩니다.

**(참고: OS에 따라 버전에 따라,
PC, 모바일에 따라 ChatGPT 인터페이스(모양)가
살짝씩 다를 수 있습니다.
그렇지만 기본적인 작동방식은 동일합니다.)**

**❶ 파일 첨부 버튼 ❷ 도구 버튼
❸ 검색 버튼 ❹ 음성 모드 버튼**

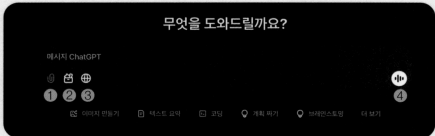

무엇을 도와드릴까요?

메시지 ChatGPT

🔗 📷 🌐   🎙
① ② ③   ④

🖼 이미지 만들기   📄 텍스트 요약   🖥 코딩   📍 계획 짜기   📍 브레인스토밍   더 보기

31. 요약하기

"긴 글을 짧게 줄이는 방법입니다!

긴 글을 읽고 중요한 내용만 뽑아내야 할 때

ChatGPT가 도와줄 수 있어요."

▶ **이렇게 해 보세요.:**

● **긴 글 준비하기:** 요약하고 싶은 글을 복사하거나 적어 놓아요.

● **요청하기: ChatGPT**에게 물어봐요.

"이 글을 요약해줘."

● **다시 요청하기: ChatGPT**에게 중요한 부분만 뽑아서 알려달라고 해봐요.

"가장 중요한 이유 5가지로 정리해줘."

"예시도 포함해서 좀 더 쉽게 다시 정리해줘."

다양한 방식으로 필요에 맞는 답을 구할 때까지 반복해서 질문하면 좋아요!

무엇을 도와드릴까요?

가장 중요한 이유 5가지로 그리고 예시도 포함해서 좀 더 쉽게 다시 정리해줘.

32. 과제 도움받기

"과제도 뚝딱 처리할 수 있어요!

어려운 문제나 아이디어가 필요할 때 **ChatGPT**가 도와줄 수 있어요."

▶ **이렇게 해 보세요:**

● **과제 주제 정하기**: 과제 내용을 이해하고 도움받고 싶은 부분을 정해요.

예: "환경 보호에 대한 아이디어."

● **요청하기**: **ChatGPT**에게 물어봐요.

"환경 보호를 위해 할 수 있는 일을 알려줘."

● **답변 확인하기**: 여러 가지 아이디어를 줄 거예요.

예: "재활용을 늘리고, 나무를 심고, 에너지를 절약하면 좋아요."

● **세부 내용 추가하기**: 더 자세히 알고 싶으면 다시 물어보세요.

"더 구체적으로 설명해줘."

"우리가 해볼 수 있는 새로운 아디디어를 3가지 더 추가해줘."

무엇을 도와드릴까요?

우리가 해볼 수 있는 새로운 아디디어를 3가지 더 추가해줘.

33. 보고서 쓰기

"보고서도 척척입니다!
보고서를 쓸 때 **ChatGPT**가 큰 도움이 돼요."

▶ 이렇게 해 보세요:

● **주제 정하기:** 보고서 주제를 정해요.

예: "콜라가 우리 뼈에 미치는 영향."

● **요청하기:** 구조를 생각해요.

서론, 본론, 결론 각 부분을 **ChatGPT**에게 써 달라고 해요.

예:"콜라가 우리 뼈에 미치는 영향을 주제로 보고서를 써줘."

● 결과 확인하기: **ChatGPT**가 서론부터 결론까지 작성해 줄 거예요.

● **다시 요청하기:** 분량이나 위치를 변경, 요청할 수 있어요.

"서론을 반으로 줄이고, 본론을 3페이지로 늘려줘."

무엇을 도와드릴까요?

결론을 좀 더 쉽게 다시 쓰고, 중요한 내용은 번호를 붙여서 정리해줘.

---

34. 이미지 만들기

"생각을 그림으로 그려보세요!

ChatGPT는 원하는 이미지를 만들어 주는 데도 도움을 줄 수 있어요."

▶ **이렇게 해 보세요.:**

● **아이디어 정하기**: 어떤 이미지를 만들고 싶은지 정해요.

예: "파란 하늘 아래에서 뛰어다니는 강아지."

● **요청하기**: **ChatGPT**에게 이미지 제작을 요청해요.

예: "파란 하늘 아래에서 초록 잔디밭을 뛰어다니는 귀여운 강아지 이미지를 만들어줘."

● **결과 확인하기**: **ChatGPT**가 설명한 대로 이미지를 만들어 보여 줄 거예요.

예: "강아지가 신나게 뛰어다니고, 배경에 흰 구름도 있어요!"

● **수정하기**: 마음에 들지 않거나 추가하고 싶은 것이 있다면 다시 요청하세요..

예: "잔디밭에 꽃을 추가해줘."

무엇을 도와드릴까요?

잔디밭에 꽃을 추가하고, 강아지는 리트리버 2마리로 다시 만들어줘.

📎 🖼️ 🌐

35. 번역하기

"언어를 바꿔봅시다!

ChatGPT는 여러 언어를 번역할 수 있어요."

▶ **이렇게 해 보세요.:**

● **번역할 문장 준비하기:** 번역할 내용을 준비해요.

예: "오늘 날씨는 정말 좋아요."

● **요청하기: ChatGPT**에게 말해요.

"이 문장을 영어로 번역해줘."

● **결과 확인하기: ChatGPT**가 번역을 해 줄 거예요.

예: "The weather is really nice today."

● **수정 요청하기:** 번역이 마음에 안 들면 다시 요청해 보세요.

"더 자연스럽게 바꿔줘."

"좀 더 간단한 표현으로 바꿔줘."

"호주식 영어로 바꿔줘."

자, 이렇게 ChatGPT로 할 수 있는 멋진 일들을 배웠어요!

요약/과제/보고서/행사 기획/번역 이외의 문서작업들을 시도해 보세요.

ChatGPT는 언제나 여러분을 도와줄 준비가 되어 있답니다!

"여러분은 이제 프롬프트 엔지니어!"

우리가 **ChatGPT** 프롬프트에 요청을 할 때,

조금 더 만족스러운 답을 구하기 위해 문장을 수정하고,

좀 더 개선된 내용으로 요청하는 행위를

프롬프트 엔지니어링(Prompt Engineering)이라고 해요.

그리고 이렇게 노력하는 사람을

프롬프트 엔지니어(Prompt Engineer)라고 해요.

프롬프트 엔지니어링은 컴퓨터에게 원하는 대답을 얻기 위해

질문(명령문)을 똑똑하게 만드는 방법이에요.

ChatGPT는 우리가 어떻게 질문하느냐에 따라 더 좋은 답을 줄 수 있어요!

더 좋은 프롬프트를 만들기 위해서는 다음과 같은 기본적인 원칙이 있어요.

● 기본 원칙 3가지

1. 명확하게 질문하기

너무 짧거나 모호한 질문보다는 구체적인 내용을 적어보세요.

2. 예의 있게 요청하기

ChatGPT는 친절한 친구예요. '부탁해(요)', '고마워(요)' 같은 말을 써보세요.

3. 단계별로 질문하기

복잡한 내용을 물을 때는 한꺼번에 말하기보다는

차근차근 단계별로 나눠 말해보세요.

예시 1: 스토리 만들기

● **일반적인 질문:** "재밌는 이야기 만들어줘."

● 개선된 프롬프트:

"한 소년이 마법 학교에 가는 이야기를 만들어줘. 소년의 이름은 민준이고,
그의 애완동물은 말하는 고양이야. 첫 번째 수업에서 무슨 일이 일어났는지 알려줘!"

예시 2: 공부 도우미

● **일반적인 질문:** "지구에 대해 알려줘."

● 개선된 프롬프트:

"초등학생이 이해할 수 있게 지구의 대륙에 대해 설명해줘.
각 대륙의 재미있는 사실도 하나씩 포함해줘!"

StepUp

"We need to **StepUp** and take ownership of the project."

40

StepUp은
ChatGPT와 함께 한 단계 더 높은 수준의
목표를 설정하는 단계입니다.

"우리 친구 여러분!
ChatGPT랑 한 단계 위로 가볼까요?"

StepUp

ChatGPT로 작품 만들기!

40

"여러분, 이번에는 **ChatGPT**를
이용해서 멋지고 재미있는 작품을
만드는 방법을 알려줄 거예요."

ChatGPT는 여러분이
생각한 아이디어를
멋지게 만들어주는 똑똑한 도구예요.
시, 노래 가사, 웹툰 스토리 보드,
게임 시나리오 등 다양한 창작 활동을
쉽게 할 수 있도록 도와준답니다.

지금부터 **ChatGPT**와 함께 시작해 볼까요?

"We need to **StepUp** and
take ownership of the project."

41. 시 쓰기

"시는 감정이나 생각을 예쁜 말로 표현하는 글이에요.
ChatGPT는 여러분이 생각한 주제로 감동적인 시를 써줄 수 있어요!"

1단계: 주제 정하기

● **주제 선택:** 시에서 다룰 주제를 골라요.

예) 사랑, 계절, 우정, 꿈

2단계: ChatGPT에게 부탁하기

● **요청하기:** "OO에 대한 시를 써줘"라고 말해보세요.

예) "두 소년의 우정을 주제로 시를 써줘.."

3단계: 결과 보고 수정하기

● **결과확인:** 결과를 보고 "더 감동적으로 바꿔줘." 같은 부탁을 하며 완성해요.

● **다시 요청하기: "마지막 줄을 좀 더 감동적으로 바꿔줘."**

무엇을 도와드릴까요?

마지막 줄을 좀 더 감동적으로 바꿔줘.

---

42. 노래 가사 쓰기

"노래 가사는 마음 속 이야기를 담는 작업이에요.
ChatGPT가 멋진 가사를 만들어줄 수 있어요."

1단계: 스타일과 주제 정하기

● **장르 선택:** 어떤 느낌의 노래인지 정하세요.

예) 발라드, 힙합

● **주제 선택:** 주제를 생각해요.

예) 사랑, 우정, 꿈

2단계: ChatGPT에게 부탁하기

● **요청하기:** "OO에 대한 노래 가사를 써줘."라고 말해 보세요.

3단계: 수정 요청하기

● **다시 요청하기:** "더 슬프게 써줘." 같은 요청을 해요.

무엇을 도와드릴까요?

대한민국 초등학생의 분주한 하루 일과를 랩 가사로 써줘. 재미있는 라임과 신나는 후렴구로.

43. 웹툰 스토리 보드 만들기

"웹툰은 그림과 이야기가 합쳐진 멋진 작품이에요.
ChatGPT는 웹툰의 장면과 대사를 짜는 걸 도와줄 수 있답니다."

1단계: 장르와 주제 정하기

● **장르 및 주제 선택:** 웹툰의 장르를 고르고, 주제를 정해요.

예) 판타지, 학교 이야기

2단계: 장면 요청하기

● **장면 요청하기:** "첫 장면에서 주인공이 마법을 사용하는 모습을 만들어줘."

3단계: 대사 짜기

● **대사 요청하기:** 각 장면에서 필요한 대사를 물어보세요.

예) "여기서 주인공이 멋있게 한마디 해줘."

● 프롬프트: "마법의 힘을 발견하는 소녀의 첫 장면을 만들어줘."

무엇을 도와드릴까요?

마법의 힘을 발견하는 소녀의 첫 장면을 웹툰 스토리 보드 4컷 분량으로 만들어줘.

---

44. 게임 시나리오 쓰기

"게임의 이야기를 만들어 볼까요?
게임 속 주인공의 모험 이야기를 **ChatGPT**와 함께 만들어 보세요!"

1단계: 장르와 세계 설정하기

● **장르 및 배경 선택:** 게임의 장르와 배경을 정해요.

예) 중세 판타지, 우주 탐험

2단계: 주요 사건 요청하기

● **요청하기: "주인공이 마법의 유물을 찾아야 해. 이걸로 이야기를 만들어줘."**

3단계: 사건을 더 풍부하게

● **다시 요청하기: "악당을 더 무섭게 만들어줘."** 같은 요청을 해 보세요.

무엇을 도와드릴까요?

사라진 우주선을 찾아 모험을 떠나는 남녀 4명의 주인공과 우주 악당의 게임 시나리오를 써줘.

"**ChatGPT**와 함께하는 창작은 정말 쉽고 재미있어요!

이제 여러분도 시, 노래 가사, 웹툰, 게임 시나리오 등

원하는 작품을 자유롭게 만들어 보세요.

ChatGPT가 여러분의 아이디어를 멋지게 도와줄 거예요!"

ChatGPT, 잠깐만요!

"프롬프트 엔지니어링 전문가!"

ChatGPT에게 요청을 할 때,

기호와 부호를 사용하여 마치 코드처럼 프롬프트를 작성하면,

ChatGPT는 이렇게 구조화된 데이터를 더 명확히 이해하고,

원하는 출력 형식에 맞게 응답할 가능성이 높아집니다.

```
# 배경: 웹툰 스토리 보드 생성
스토리_조건 = {
    "장르": "SF 판타지"
    "배경": "미래의 우주"
    "주인공": {
        "이름": "이안", "브릿", "소니", "진수"
        "역할": "우주비행사"
        "목표": "사라진 우주선을 찾아 떠나는 우주 탐험"
    }
    "갈등": "우주 악당 "빌리 막스"와의 긴장감 넘치는 공방전"
}

# 요청사항:
# 1. 스토리의 첫 장(A4 용지 1장)을 작성
# 2. 몰입감 있고 흥미진진한 분위기를 강조
```

```
# 배경: 웹툰 스토리 보드 생성
스토리_조건 = {
    "장르": ["SF 판타지"]
    "배경": ["미래의 우주"]
    "주인공": {
        "이름": ["이안", "브릿", "소니", "진수"]
        "역할": ["우주비행사"]
        "목표": ["사라진 우주선을 찾아 떠나는 우주 탐험"]
    }
    "갈등": ["우주 악당 "빌리 막스"와의 긴장감 넘치는 공방전"]
}

# 요청사항:
# 1. 스토리의 첫 장(A4 용지 2장)을 작성
# 2. 몰입감 있고 흥미진진한 분위기를 강조
```

이렇게 부호/기호를 사용하여(# = " " : { } ( ))

'**코딩체**' 형식의 프롬프트를 작성하면, '**대화체**' 형식의 프롬프트보다

데이터와 요청사항을 체계적으로 정리하여 혼동을 줄여서

'**명확성과 구조화**'가 생기고,

빨간색 [**중괄호**] 부분만 수정하여 반복적으로 사용할 수 있는

'**확장성과 재사용성**'이 확보됩니다.

그러면 **ChatGPT**를 다양한 상황에서

보다 더 효과적으로 활용할 수 있게 됩니다.

(어떤 기호를 사용하든 일관성 있는 게 좋아요!)

다음은 앞의 프롬프트로 **ChatGPT**가 작성한
웹툰 스토리 보드의 첫 번째 안입니다.
우리 같이 한번 감상해 볼까요?

SF 판타지 웹툰: 스토리보드 1장
장르: SF 판타지
배경: 미래의 우주
주인공: 이안, 브릿, 소니, 진수 (우주비행사)
목표: 사라진 우주선을 찾아 떠나는 우주 탐험
갈등: 우주 악당 빌리 막스와의 긴장감 넘치는 공방전

---

1. 첫 장면: 암흑 속 신호
● **컷 1:**
   * 화면: 광활한 우주, 은하수와 무수히 떠다니는 별들. 배경은 고요하고 웅장한 느낌.
   * 대사: 없음 (조용한 분위기 연출).
   * 설명: 우주의 고요함이 화면을 채운다. 긴장감을 조성하는 첫 장면.

● **컷 2:**
   * 화면: 우주선 내부, 메인 브릿지에 앉아 있는 주인공들. 각자 모니터와 제어판을 보고 있음.
   * 대사: "이안, 브릿, 소니, 진수! 우리 위치 확인해봐."
   * 설명: 탐사팀이 사라진 우주선의 위치를 추적하며 대화를 나눈다.

● **컷 3:**
   * 화면: 이안의 모니터에 깜빡이는 빨간 신호. 화면이 가까이 확대됨.

* 대사: "이안: 이거야… 우리가 찾던 신호다!"
* 설명: 드디어 목표 지점의 단서를 발견한다. 하지만 긴장감이 서서히 고조된다.

2. 갈등의 시작: 빌리 막스의 등장
● 컷 4:
* 화면: 브릿이 빠르게 키보드를 두드리며 신호를 분석하는 모습.
* 대사: "브릿: 알테어 호가 근처에 있어. 그런데 이상해… 누군가 신호를 방해하고 있어."
* 설명: 신호가 방해받고 있다는 사실을 깨닫는 순간.
● 컷 5:
* 화면: 주인공들의 우주선 레이더 화면에 나타난 낯선 함선. 함선 옆에는 "빌리 막스"라는 이름이 표시됨.
* 대사: "소니: 빌리 막스…"
* 설명: 우주 악당의 함선이 화면에 등장하며 긴장감이 극대화된다.
● 컷 6:
* 화면: 빌리 막스의 함선 내부, 어두운 조명 속에서 악당의 실루엣이 드러남.
* 대사: "빌리 막스: 누가 내 영역에 들어온 거지?"
* 설명: 악당의 첫 등장으로 스토리가 본격적으로 시작된다.

3. 긴급 대책 회의
● 컷 7:
* 화면: 주인공들이 긴급 회의를 열고 전략을 논의하는 장면. 브릿이 홀로그램 지도 위에서 설명 중.
* 대사: "브릿: 빌리 막스가 신호를 막고 있어. 직접 돌파하는 수밖에 없어."
* 설명: 주인공들이 상황을 파악하고 작전을 구상한다.
…

BuildUp

"It's time to **BuildUp** our product portfolio."

50

**BuildUp은
ChatGPT 기초를 바탕으로 체계적으로 구축하고
발전시키는 단계입니다.**

"우리 친구 여러분!
ChatGPT를 제대로 발전시켜 볼까요?"

BuildUp

50

ChatGPT로 콘텐츠 만들기!

"여러분, 이번에는
ChatGPT를 사용해서 멋진 콘텐츠를
만드는 방법을 알려드릴게요."

이번 장에서는 4가지 콘텐츠를
만들어보는 방법을 배울 거예요:
블로그 글, 소설, 유튜브 대본, 제품 리뷰.

하나씩 따라 해보면서
재미있게 배우면 돼요!

슬슬 **ChatGPT**와 함께
우리의 창의력을 발휘해 볼까요?

""It's time to **BuildUp**
our product portfolio.""

51. 블로그 글 쓰기

"블로그 글은 독자에게 유용한 정보나 재미있는 이야기를 전해주는 글이에요. **ChatGPT**와 함께하면 쉽고 빠르게 쓸 수 있어요!"

일반적으로 잘 쓴 블로글의 구성은 다음과 같아요!

❶ 제목

● 글의 핵심 내용을 짧고 재미있게 알려줘요.

(예: "초코케이크를 쉽게 만드는 비법!")

❷ 소개/도입부

● 이 글에서 무엇을 이야기할지 간단히 말해요.

(예: "오늘은 집에서 간단하게 초코케이크를 만드는 방법을 알려줄게요!")

❸ 본문

● 글의 핵심 내용을 자세히 적어요.

사진이나 동영상을 넣어서 더 쉽게 이해할 수 있게 해요.

(예: "초코케이크를 만드는 재료와 순서를 차례로 설명해요.")

❹ 마무리/결론

● 글을 마치면서 짧게 요약하거나, 독자에게 말을 걸어요.

(예: "너도 이 방법으로 만들어 보고 댓글로 알려줘!")

❺ 관련 정보나 링크

● 도움이 될 만한 글이나 참고 자료를 연결해요.

(예: "초코케이크와 어울리는 음료 만드는 법은 여기에서 확인해 보세요!")

그래서 이상의 블로그 작성을 위해 '**코딩체**' 형식의 프롬프트를 만들면,

```
# 초등학생 블로그
초등학생 블로그_조건 = {
"제목": "초코케이크를 쉽게 만드는 비법!",
"소개": "초코케이크 만드는 내용을 간단히 소개",
"본문": {
"주요 내용": "초코케이크에 대한 재료 준비 사항 설명"(2인분),
},
"마무리(결론)": "요약하고, 독자와 소통 유도",
"관련 정보": "도움이 될 만한 자료나 링크 추가"
}

# 요청사항:
1. 초등학생도 이해하기 쉽도록 설명.
2. 간단하고 친근한 어투 사용.
```

다음과 같은 결과가 나옵니다. 함께 확인해 볼까요?

> ## "초코케이크를 쉽게 만드는 비법!"
>
> **1. 초코케이크 만들기, 생각보다 쉬워요!**
> 초코케이크를 만들려면 특별한 기술이 필요할까요? 아니에요! 집에서도 간단하게 만들 수 있어요. 오늘은 아주 쉬운 방법으로 초코케이크를 만들어볼 거예요. 초코 케이크를 좋아하는 친구들도, 요리를 처음 해보는 친구들도 모두 따라올 수 있으니 걱정하지 마세요!

2. 필요한 재료를 준비해요! (2인분 기준)
초코케이크를 2인분으로 만들기 위해 아래 재료를 준비해 주세요:
- 초코 가루: 3큰술 (약 30g)
- 밀가루: 1컵 (약 120g)
- 설탕: 4큰술 (약 50g)
- 우유: 1/2컵 (약 120ml)

이 양이면 2명이 먹기에 딱 좋은 초코케이크를 만들 수 있어요! 재료를 정확히 계량하면 더 맛있게 완성할 수 있답니다.

3. 초코케이크를 만드는 첫걸음!
재료가 준비되었다면, 이제 케이크 반죽을 시작해 봐요.
- 초코 가루와 밀가루 섞기

큰 그릇에 초코 가루와 밀가루를 넣고 잘 섞어주세요. 이렇게 하면 초코 맛이 골고루 퍼지게 돼요.
- 설탕 추가하기

섞은 가루에 설탕을 넣어주세요. 단맛을 좋아한다면 조금 더 넣어도 괜찮아요.
- 우유 넣기

마지막으로 우유를 천천히 부으면서 반죽을 만들어 보세요. 우유가 들어가면 반죽이 부드럽고 말랑해져요.

4. 잘 섞는 것이 중요해요!
반죽을 만들 때는 너무 세게 섞지 말고, 부드럽게 저어 주세요. 거품기로 저어주면 공기가 들어가면서 반죽이 더 가벼워지고 케이크가 부드러워져요. 반죽이 골고루 섞였는지 확인해 보세요. 혹시 덩어리가 있다면 숟가락으로 눌러서 없애주면 좋아요.
(중략)

"여기 내가 만든 초코케이크 사진이야! 너도 이렇게 멋지게 만들 수 있어."
"오늘은 초코케이크를 만드는 비법을 배워 봤어.
어때? 꼭 만들어 보고, 친구들이랑 같이 나눠 먹어 봐! 또 다른 요리도 알고 싶다면 댓글로 알려줘!"

- "초코케이크 만드는 영상을 보고 싶다면 이 링크를 눌러봐! [링크]"

52. 소설 쓰기

"소설은 상상 속 이야기를 쓰는 거예요.
ChatGPT는 등장인물, 배경, 스토리 전개를 도와줘요."

본격적으로 소설을 쓰려면 다음의 내용을 준비해야 합니다.

1. 장르와 배경 정하기

"판타지 소설을 쓰고 싶어. 마법이 가득한 세계에서 벌어지는 이야기로 써줘."

2. 캐릭터 정하기

"주인공은 12세 쾌활한 소녀 미나, 마법을 배워서 세상을 구해야 해."

3. 프롬프트 작성

"주인공이 마법의 세계로 들어가는 첫 장면 써줘."

4. 소설 작성

ChatGPT가 첫 장면을 써 줄 거예요.

예: "소녀는 떨리는 손으로 문을 열었고, 마법의 세계가 눈앞에 펼쳐졌어요."

5. 내용 추가 및 수정

"이 장면을 더 긴장감 있게 써줘."

"다음 이야기를 이어서 써줘."

이상의 내용을 코딩체 형식의 프롬프트로 만들면 다음과 같습니다.

```
# 소설 프롬프트
소설_조건 = {
"장르": "판타지",
"배경": "마법이 가득한 세계",
"주인공": {12세 쾌활한 소녀 미나}
"목표": {미나가 마법을 배워 세상을 구하는 것"}
}

# 요청사항:
1. "초등학생들이 좋아하는 게임 끝판왕 도전 스타일로 써줘."
2. "주인공이 마법의 세계로 들어가는 첫 장면 써줘."
```

결과물을 확인하고, 마음에 안드는 부분은

다음과 같이 수정 요청을 하면 됩니다.

```
# 요청사항:

"이 장면을 더 긴장감 있게 써줘."

"다음 이야기를 이어서 써줘."

"다음 파트를 완성해줘. 이야기를 이어서 써줘."
```

53. 유튜브 대본 쓰기

"유튜브 영상을 만들 때 필요한 대본/스크립트를 만들어보아요.
ChatGPT는 주제에 맞는 대본을 척척 만들어 줘요."

유튜브 대본은 다음과 같은 방법으로 작성합니다.

1. 주제 정하기

"다이어트 팁 영상 대본 써줘."

2. 인트로 작성

"인사와 함께 다이어트 꿀팁을 알려줘."

3. 본문 내용 추가

"건강하게 살 빼는 방법 3가지 소개해줘."

"하루 10분으로 가능한 부담 없는 운동을 포함해줘."

4. 결론 작성

"결론과 함께 인사 써줘."

"오늘 팁이 도움이 됐다면 구독, 좋아요 눌러주세요!"

이상의 내용을 코딩체 형식의 프롬프트로 만들면 다음과 같습니다.

```
# 유튜브 대본 작성하기
유튜브_조건 = {
"주제": "다이어트 팁 영상",
"구성": {
"인트로": "인사와 함께 다이어트 꿀팁 소개",
"본문": [
"건강하게 살 빼는 방법 3가지",
"하루 10분으로 가능한 부담 없는 운동 포함"
]
"결론": "다이어트 팁 요약과 함께 마무리 인사"
}
}
```

이상의 프롬프트로 **ChatGPT**에게 요청하면

다음의 결과가 나오게 됩니다. 함께 감상해 볼까요?

유튜브 대본: 다이어트 꿀팁 영상

1. 인트로
(영상 시작)
[밝은 음악과 함께 등장]
안녕하세요, 여러분! 건강하고 행복한 하루를 응원하는 [채널명]입니다.
오늘은 다이어트를 시작하려는 분들을 위한 건강한 다이어트 꿀팁 세 가지를 알려드릴게요.

영상 끝까지 보시면, 부담 없이 따라 할 수 있는 10분 운동법도 소개합니다! 자, 그럼 시작해 볼까요?

---

2. 본문

(1) 건강한 식단 관리
첫 번째 꿀팁은 균형 잡힌 식단이에요.
다이어트에서 가장 중요한 건 무조건 적게 먹는 게 아니라, 영양소를 골고루 섭취하는 거예요!
* 아침에는 단백질이 풍부한 달걀과 통곡물 빵.
* 점심은 채소와 닭가슴살 샐러드.
* 저녁은 소화가 잘 되는 생선구이와 고구마를 추천합니다.

(2) 꾸준한 수분 섭취
두 번째 꿀팁은 물을 많이 마시는 것이에요.
하루에 최소 2리터의 물을 마시면 신진대사가 활발해지고, 포만감도 느낄 수 있어요.
"물은 진짜로 다이어트의 친구다!"라고 생각하고 습관화해 보세요!

(3) 간단한 10분 운동
마지막 꿀팁은 매일 10분씩 간단한 운동을 실천하는 거예요.
* 플랭크 1분으로 시작해 보세요.
* 이어서 스쿼트 15회와 팔굽혀펴기 10회를 반복하면 전신운동이 됩니다.
이 정도만 해도 몸의 변화를 느낄 수 있어요!

3. 결론

자, 오늘은 건강한 다이어트 꿀팁 세 가지를 알려드렸는데요.
1. 균형 잡힌 식단.
2. 꾸준한 수분 섭취.
3. 간단한 10분 운동.
다이어트는 조금씩 꾸준히 실천하는 것이 중요해요.
오늘 알려드린 팁, 꼭 따라 해 보시고 변화된 모습 기대해 보세요!

[밝은 음악과 함께 마무리]

오늘 영상이 도움이 되셨다면 좋아요와 구독 부탁드릴게요!
다음에도 유익한 정보로 찾아올게요. 감사합니다~ (손 흔들며 인사)

54. 제품 리뷰 쓰기

"사람들에게 제품을 추천하거나 설명하는 제품 리뷰를 만들어보아요.
ChatGPT와 함께하면 깔끔하고 체계적인 리뷰를 쓸 수 있어요."

제품 리뷰는 다음과 같은 방법으로 작성합니다.

1. 제품

"새로 나온 OOO 무선 이어폰에 대해 알려줘."

(리뷰 대상 제품을 명확히 언급해주세요.)

2. 제품 소개와 구매 이유

"사용자 경험에 기반한 구체적인 구매 이유 설명을 추가해줘."

2. 장점과 단점 정리

"이 무선 이어폰의 장점들은 ..., 그리고 단점들은 ..."

3. 사용 후기 쓰기

(사용자의 체험을 근거로 느낀 점)

"전반적으로 어떤 부분들이 좋아서 추천해요!"

"사용해보니 이런 부분들이 아쉬워요."

그래서 '무선 이어폰'에 대한 코딩체 형식의 프롬프트를 만들면 다음과 같습니다.

```
제품 리뷰_조건 = {
"주제": "무선 이어폰 리뷰",
"구성": {
"인트로": "무선 이어폰 [제품명] 소개와 구매 이유 설명",
"본문": [
"해당 무선 이어폰 장점",
"해당 무선 이어폰 단점",
"직접 사용하면서 느낀 점"
],
"결론": "구매 추천 여부와 최종 평가"
}
}
```

"**ChatGPT**가 여러분의 멋진 아이디어를 실현시켜 줄 거예요.
ChatGPT와 함께 멋진 콘텐츠를 마음껏 만들어 보세요!"

Outro 나가는 말

"**ChatGPT**와 함께하는 미래로의 첫걸음!"

ChatGPT는 여러분의 상상력과 창의력을 한층 더 크게 키워주는 멋진 도구예요.

지금까지 배운 것처럼,

ChatGPT는 글쓰기, 공부, 번역, 콘텐츠 제작 등

정말 많은 일을 도와줄 수 있어요!

이 안내서를 따라와 주셨다면 이제 여러분은

블로그 글쓰기, 소설, 유튜브 대본, 제품 리뷰까지

다양하고 멋진 콘텐츠를 만들 수 있는 방법을 알게 되었을 거예요.

그래서 ChatGPT는 여러분에게 새로운 기회를 선사할 거에요!

- **ChatGPT**는 여러분의 창의력을 더욱 키울 수 있는 기회를 열어줘요.
- **ChatGPT**는 문제를 해결하는 새로운 방법을 알려줘요.
- **ChatGPT**는 여러분의 독창적인 아이디어를 현실로 만들어 줄 거예요.

이제부터 ChatGPT와 함께 미래로 한 걸음 더 나아가요!

여러분은 이미 **ChatGPT**와 함께 멋진 미래로 첫 발을 내디뎠어요.

앞으로 여러분은 **AI**와 협력하며 더 많은 것을 배우고, 더 새로운 것을 시도해 볼 수 있어요.

그리고 이런 경험들이 앞으로 여러분이 더 멋진 일을 할 수 있게 도와줄 거예요.

- **ChatGPT**와 배운 것을 활용해, 더 멋진 아이디어를 만들어 보세요.
- **ChatGPT**와 더 많은 문제를 해결하면서 여러분은 보다 더 강해질 거예요.

꿈꾸는 모든 것이 가능해요!

여러분은 이미 멋진 일을 해낼 준비가 되어 있어요.

여러분의 창의력과 아이디어로

더 나은 내일을 만들어 보세요!

ChatGPT와 여러분이 함께하면,

그 어떤 것도 가능하니까요!

PowerUp

"Let's **PowerUp** and dominate the AI & ChatGPT."

60

PowerUp은
지속 가능한 ChatGPT 활용의 성장을 위해
에너지와 자원을 극대화하는 단계입니다.

"우리 친구 여러분!
에너지를 끌어모아 볼까요?"

PowerUp

61

"Let's **PowerUp** and dominate the **AI & ChatGPT**."

부록 1:

쉽게 이해할 수 있는
ChatGPT 용어 모음집

안녕하세요!
ChatGPT를 처음 사용해보는
친구들을 위해 쉽게 이해할 수 있도록
핵심 용어들을 설명해 드릴게요.

다음의 핵심 용어를 알고 있으면
ChatGPT 및 **AI**와
훨씬 더 친해질 수 있을 거예요.

● **챗지피티 (ChatGPT) :**

ChatGPT는 여러분과 대화를 나눌 수 있는 똑똑한 컴퓨터 친구예요. 어려운 질문도 척척 대답해 주고, 이야기나 글도 만들어 줄 수 있답니다.

● **프롬프트 (Prompt) :**

프롬프트는 **ChatGPT**에게 던지는 질문이나 부탁이에요. 예를 들어, "강아지 이야기를 만들어줘!"라고 하면 이게 바로 프롬프트랍니다.

● **프롬프트 엔지니어링 (Prompt Engineering) :**

프롬프트 엔지니어링은 **ChatGPT** 같은 **AI** 모델에게 원하는 결과를 얻기 위해 질문이나 요청(프롬프트)을 설계하고 조정하는 작업이에요. 예를 들어, "강아지 이야기를 만들어줘!" 라는 프롬프트에 만족스러운 답변이 나오지 않을 경우, "다섯 살 어린이가 좋아할 만한 강아지 이야기를 만들어줘. 강아지 이름은 '쿠키'이고, 모험 이야기였으면 좋겠어." 이렇게 프롬프트를 더 구체적이고 명확하게 바꾸는 것이 바로 프롬프트 엔지니어링입니다.

● **프롬프트 엔지니어 (Prompt Engineer) :**

프롬프트 엔지니어링을 하는 사람(전문가)을 뜻합니다. 프롬프트를 더 구체적이고 명확하게 바꾸는 사람을 말하며, 유망한 직업으로 떠오르고 있어요.

● **모델 (Model) :**

ChatGPT가 똑똑하게 작동하도록 도와주는 컴퓨터 프로그램이에요. 공부한 내용을 바탕으로 여러분의 질문에 답을 해줘요.

● **대화형 AI (Conversational AI) :**

사람처럼 대화를 할 수 있는 인공지능이에요. 여러분이 말하면 이해하고 대답을 해주는 거죠!

● **파인 튜닝 (Fine-tuning) :**

ChatGPT가 더 잘 대답하도록 공부를 추가로 시키는 과정이에요. 예를 들어, 공룡에 대한 질문에 답을 잘하도록 연습시키는 거예요.

● **API (응용 프로그램 인터페이스) :**

다른 프로그램과 **ChatGPT**가 연결될 수 있도록 돕는 다리 같은 거예요.

● **알고리즘 (Algorithm) :**

컴퓨터가 문제를 해결하는 방법이에요. 마치 수학 문제를 푸는 규칙처럼요.

● **비지도 학습 (Unsupervised Learning) :**

ChatGPT가 특별한 정답 없이 혼자서 데이터를 보고 공부하는 방법이에요.

● **자연어 처리 (Natural Language Processing, NLP) :**

사람의 말을 이해하고, 자연스럽게 대답하는 기술이에요. **ChatGPT**가 바로 이 기술을 사용해요.

● **텍스트 생성 (Text Generation) :**

ChatGPT가 새로운 글을 만들어내는 거예요. 예를 들어, 여러분이 "우주 이야기를 만들어줘!"라고 하면 이야기를 만들어주는 거죠.

● **지식 베이스 (Knowledge Base) :**

ChatGPT가 알고 있는 지식을 모아놓은 데이터 창고예요.

● **응답 (Response) :**

프롬프트에 대해 **ChatGPT**가 해주는 대답이에요.

● **대화 흐름 (Conversation Flow) :**

대화가 자연스럽게 이어지도록 도와주는 기술이에요. **ChatGPT**는 여러분의 말과 질문을 기억하고 이어서 대답해줘요.

● **컨텍스트 (Context) :**

대화나 글의 배경 이야기예요. 예를 들어, "어제 축구 얘기 했잖아!"라고 하면 **ChatGPT**는 그 이야기를 기억할 수 있어요.

● **고급 설정 (Advanced Settings) :**

ChatGPT를 특별한 방식으로 작동하게 만드는 비밀 도구예요.

● **상황 설정 (Scenario Setting) :**

특정한 상황을 정해주는 거예요. 예를 들어, "왕자와 공주가 나오는 동화 만들어줘!" 같은 거죠.

● **정확성 (Accuracy) :**

ChatGPT의 대답이 얼마나 정확한지 나타내는 말이에요.

● **자연스러움 (Fluency) :**

ChatGPT의 대답이 사람처럼 자연스러운지 평가하는 거예요.

● **비판적 사고 (Critical Thinking) :**

문제를 꼼꼼히 생각하고 분석하는 능력이에요. **ChatGPT**도 이걸 잘하려고 노력해요.

● **내용 제한 (Content Limitation) :**

ChatGPT가 대답할 수 있는 내용에 대한 규칙이에요. 나쁜 내용은 대답하지 않도록 제한이 있어요.

● **창의적 작성 (Creative Writing) :**

ChatGPT가 동화나 시 같은 창의적인 글을 쓰는 활동이에요.

● **문법 검사 (Grammar Checking) :**

글을 읽고 문법이 틀린 부분을 고쳐주는 기능이에요.

● **아이디어 생성 (Idea Generation) :**

재미있는 아이디어를 떠올리는 거예요. 예를 들어, "생일 파티 주제 추천해줘!"라고 하면 ChatGPT가 도와줘요.

● **사용자 인터페이스 (User Interface, UI) :**

여러분이 **ChatGPT**와 쉽게 대화할 수 있게 돕는 화면이나 버튼이에요.

● **멀티모달 (Multimodal) :** 다양한 형태의 정보를 동시에 이해하고 처리하는 능력을 말해요. 예를 들어, "사진을 보고 설명해줘!"라고 하면, **ChatGPT**가 사진을 분석해서 내용을 알려줄 수 있어요.

● **AI 에이전트 (AI Agent) :** 사람처럼 생각하고 행동할 수 있는 인공지능 도우미를 말해요. 예를 들어, "내 일정을 정리해줘!"라고 하면, **AI** 에이전트가 일정을 정리해줘요.

PowerUp
62

부록 2:

ChatGPT 유료 버전을
무료로 사용할 수 있는 방법

"**ChatGPT**와 같은 **AI** 모델을 한시적,
제한적으로 그렇지만 무료로
사용할 수 있는 **에이닷 adot.ai**라는
사이트가 있어요.(**https://adot.ai**)
처음 사용해보는 친구들을 위해
쉽게 이해할 수 있도록
사용방법을 단계별로 설명해 드릴게요."

다음의 순서로 진행하면 됩니다.

❶ adot.ai 사이트 열기 (왼쪽 QR 코드)

▶ ❷ 구글로 로그인 선택하기

▶ ❸ 구글 계정 선택하기

▶ ❹ 본인확인

▶ ❺ 대화 시작하기

▶ ❻ AI 선택하고 시작하기

로그인을 하면 **"AI에게 물어보세요"** 화면이 나오고,

이제 에이닷을 사용할 수 있게 됩니다.

❺**번** 이미지처럼 프롬프트 창의 동그란 아이콘을 누르면

다양한 **AI** 모델을 선택할 수 있습니다.

이렇게 무료로 사용 가능하며, 각 모델의 특성에 따라 다양한 용도로 활용할 수 있습니다.

에이닷에서 사용할 수 있는 **AI** 모델들은 다음과 같습니다.

A.X : SK텔레콤이 개발한 대화형 초거대 언어 모델(**LLM**)로, 자연스러운 한국어 대화와 다양한 언어 처리 기능을 제공합니다.

퍼플렉시티(Perplexity) : 실시간 검색 결과와 출처를 제공하는 **AI**로, 최신 정보에 대한 정확한 답변을 제공합니다.

ChatGPT : OpenAI의 GPT-4 기반 모델로, 자연스러운 대화와 다양한 주제에 대한 답변을 생성합니다.

클로드(Claude) : Anthropic의 **AI** 모델로, 안전하고 유용한 대화를 목표로 설계되었습니다.

***무료 사용자에게 일정량의 토큰이나 사용 한도를 제공하며,
Adot.ai의 정확한 무료 사용 정책은 공식 웹사이트(adot.ai)를 방문하시면 됩니다.

OpenAI Public Communications (Public Relations Department)

"ChatGPT is at the forefront of educational innovation, making learning more accessible and enjoyable. Designed to inspire creativity and improve problem-solving skills, ChatGPT empowers students to gain confidence and achieve their goals. OpenAI is committed to fostering equitable learning environments through accessible, cutting-edge technology for all learners."

OpenAI 공공 커뮤니케이션 (홍보부)

"ChatGPT는 교육 혁신의 선두에 서서 학습을 더 접근 가능하고 즐겁게 만들어줍니다. 창의력을 자극하고 문제 해결 능력을 향상시키도록 설계된 ChatGPT는 학생들이 자신감을 얻고 목표를 달성할 수 있도록 돕습니다. OpenAI는 첨단 기술을 통해 모든 학습자에게 평등한 교육 환경을 제공하기 위해 노력합니다."

OpenAI Educational Research and Outreach (Education Department)

"ChatGPT provides students with opportunities to learn at their own pace and in ways that suit their unique learning styles. Beyond academic support, it fosters creative expression, critical thinking, and language acquisition as a versatile learning companion. OpenAI believes education should be personalized, inclusive, and accessible to all."

OpenAI 교육 연구 및 지원 (교육부)

"ChatGPT는 학생들이 자신의 학습 속도와 스타일에 맞춰 배울 수 있는 기회를 제공합니다. 학문적 지원뿐만 아니라 창의적 표현, 비판적 사고, 언어 습득 등을 돕는 다목적 학습 도구입니다. OpenAI는 교육이 개인화되고, 포괄적이며, 모두에게 접근 가능해야 한다고 믿습니다."

OpenAI Global Engagement and Product Outreach (Marketing Department)

"ChatGPT has become an indispensable educational tool for students, parents, and teachers alike. By facilitating engaging and enjoyable learning experiences, ChatGPT blends technology with education to help students succeed academically and beyond. Our dedication to driving educational innovation remains unwavering."

OpenAI 글로벌 참여 및 제품 홍보 (마케팅부)

"ChatGPT는 학생, 학부모, 교사 모두에게 없어서는 안 될 학습 지원 도구로 자리 잡았습니다. 재미있고 몰입감 있는 학습 경험을 제공하며, ChatGPT는 기술과 교육을 융합해 학생들이 학업뿐 아니라 다양한 영역에서 성공할 수 있도록 돕습니다. 교육 혁신을 위한 우리의 노력은 계속될 것입니다."

▶ ▶ ▶ **부모님, 선생님 그리고 지도하시는 분께**
이상은 **OpenAI** 사의 주요 부서별로 강조하고 있는
ChatGPT의 **교육적 역할**에 대한 **기대**를 정리한 내용입니다.
학생 지도하실 때, 참고가 되시면 좋겠습니다.